CO
CLÁSIC

20 mil leguas de viaje submarino
Alicia en el país de las maravillas
Aventuras de Tom Sawyer, Las
Cabaña del tío Tom, La
Cid Campeador, El
Corazón, diario de un niño
Diario de Ana Frank, El
Hombrecitos
Huckleberry Finn
Ilíada, La
Mujercitas
Odisea, La
Principito, El
Quijote de la Mancha, El
Robinson Crusoe
Viaje al centro de la Tierra

COLECCIONES

Belleza
Negocios
Superación personal
Salud
Familia
Literatura infantil
Literatura juvenil
Ciencia para niños
Con los pelos de punta
Pequeños valientes
¡Que la fuerza te acompañe!
Juegos y acertijos
Manualidades
Cultural
Medicina alternativa
Clásicos para niños
Computación
Didáctica
New Age
Esoterismo
Historia para niños
Humorismo
Interés general
Compendios de bolsillo
Cocina
Inspiracional
Ajedrez
Pokémon
B. Traven
Disney pasatiempos

Edmundo de Amicis

Corazón, diario de un niño

Doctor Erazo 120
Colonia Doctores **Tel. 55 88 72 72**
México 06720, D.F. **Fax. 57 61 57 16**

CORAZÓN, DIARIO DE UN NIÑO

Adaptado por: Gabriela de los Ángeles Santana Calderón
Adaptado del original en italiano

Diseño de portada: Sergio Osorio y Mónica Jácome

ISBN-13: 978-970-643-508-8
ISBN-10· 970-643-508-5

vigecima novena reimpresion marzo 2015

Impreso y encuadernado en México.
Printed and bound in México

Prólogo

Edmundo de Amicis (1846-1908), novelista italiano que dedicó gran parte de su vida a difundir sus ideas sobre la educación de los jóvenes, participó en la vida militar y muchas de las historias que aquí se encuentran están tomadas de la realidad. *Corazón*, *diario de un niño,* ha sido traducido a todas las lenguas cultas, ya que es un emotivo llamado a los valores universales como la modestia, el patriotismo, el valor cívico, y otros. Aquí encontrarás un mundo conocido para ti: el de la escuela. La época es el siglo XIX: Italia lucha por conseguir su unidad tras una cruel guerra contra los austriacos.

Contenido

Octubre

El primer día de escuela

Hoy es el primer día de clase, también es el primer día que escribo en este diario. Mi madre me condujo esta mañana para inscribirme en la tercera elemental. Recordaba el campo e iba de mala gana. ¡Nueve meses por delante! ¡Cuántos trabajos, cuántos exámenes mensuales, cuántas fatigas! Vi a algunos pequeñines que no querían entrar en el aula; otros, al ver que se marchaban sus padres, rompían a llorar. A mí me tocó el maestro Perbono en el primer piso. Le tomé afecto cuando se acercó a nosotros y nos dijo:

—No tengo familia. No tengo en el mundo más que a ustedes. Hemos de pasar un año juntos, procuremos pasarlo lo mejor posible. Ustedes son mi familia.

En el recreo saludé a mis compañeros. Garrón es el mayor de la clase; tiene cerca de catorce años, piensa como hombre, y protege al pequeño Nelle que es jorobadito y tiene el rostro descolorido.

Otro me agrada también; se apellida Coreta y siempre está alegre. Es hijo de un empleado de ferrocarril que ha sido soldado en la guerra de 1866. También está Precusa, el hijo del herrero, a quien su padre le pega; y Crosi el pelirrojo del brazo malo cuya madre es verdulera. Todos ellos son estudiosos, pero ninguno puede competir con Deroso, el primero de la clase. Todo lo aprende sin esfuerzo.

La escuela

“Sí, querido Enrique; el estudio es duro para ti, pero oye, piensa un poco y considera ¡qué despreciables y estériles serían tus días si no fueses a la escuela! Piensa en los obreros que van a la escuela por la noche, después de haber trabajado todo el día; piensa en los niños mudos y ciegos que, sin embargo, estudian; y hasta en los presos que también aprenden a leer y escribir. Desde las últimas escuelas de Rusia, casi perdidas entre los hielos, hasta las últimas escuelas de Arabia, a la sombra de las palmeras, millones y millones de seres van a aprender. Si este movimiento cesase, la humanidad caería en la barbarie. Valor, pues, pequeño soldado: tus libros son tus armas.

Tu padre.”

El pequeño patriota paduano
(Cuento Mensual)

No seré un soldado cobarde, no; pero iría con más gusto a la escuela si el maestro nos refiriese todos los días un cuento como el de esta mañana. Todos los meses, dice, nos contará uno; nos lo dará escrito y será siempre el relato de una acción buena y verdadera, llevada a cabo por un niño. El cuento de hoy trató de un chico de 11 años.

TITERES

Hacía dos años que su padre y su madre, labradores de los alrededores de Padua, le habían vendido al jefe de cierta compañía de titiriteros, el cual, después de enseñarle varios trucos a fuerza de golpes y haciéndolo pasar hambre, le había llevado a través de Francia y España.

En Barcelona, el chico se escapó de su carcelero y corrió a pedir protección al cónsul de Italia, el cual, compadecido, le había embarcado en un bajel dándole una carta para el alcalde de Génova, que debía enviarlo a sus padres, esos padres que lo habían vendido como una vil bestia.

Algunos viajeros del barco, que no eran italianos, vieron el deplorable estado del chico y quisieron escuchar su historia. Para darse tono con las señoras le regalaron monedas. El chico sonrió por primera vez pensando en que podía comprarse algo de comer y cambiar sus andrajos por una chaqueta.

Los extranjeros siguieron bebiendo y empezaron a platicar de sus viajes. Así terminaron hablando de Italia: "un pueblo ignorante", "sucio" "lleno de estafadores y de bandidos", convenían todos. Entonces, una tempestad de monedas cayó sobre ellos.

—Recobren sus monedas —dijo con desprecio el muchacho—. Yo no acepto limosna de quienes insultan a mi patria.

Noviembre

Los soldados

Creo que no te lo he mencionado, diario, pero Franti es de todos mis compañeros el más desagradable. Desprecia a los que no son de su clase y envidia a Garrón. Ayer, cuando pasaba un regimiento de soldados se echó a reír de uno que cojeaba. Pero de pronto sintió una mano sobre el hombro; se volvió: era el director.

—Óyeme —le dijo al punto—, burlarse de un soldado cuando está en las filas, cuando no puede vengarse ni responder, es como insultar a un hombre atado; es una villanía. Franti desapareció.

—Deben querer mucho a los soldados y saludar con respeto a la bandera tricolor —nos dijo a todos el director.

El pequeño vigía lombardo
(Cuento Mensual)

La historia de este mes se ubica poco después de la batalla de Solferino y San Marino durante la guerra contra los austriacos por el rescate de Lombardía en 1859. Trata de un muchacho como de doce años, con grandes ojos azules y cabellos rubios y largos.

Un oficial le había pedido que subiera a un fresno para ver si llegaban las tropas enemigas.

En pocos momentos el muchacho estuvo en la copa del árbol.

—A la derecha, cerca del cementerio, entre los árboles, hay algo que brilla; parecen bayonetas —declaró el pequeño.

En aquel momento, un silbido de bala agudísimo pasó cerca.

—¡Bájate, muchacho! —gritó el oficial— Te han visto.

—No tengo miedo —respondió el chico—. El árbol me resguarda. Déjeme ver qué hay a la izquierda.

—¡Abajo! —repitió el oficial con energía y furioso. Otra bala había pasado cerca.

—A la izquierda, donde hay una capilla, me parece ver...

Un tercer silbido pasó por lo alto, y en seguida se vio al muchacho venir abajo.

—¡Maldición! —gritó el oficial acudiendo en su ayuda. Pero mientras decía "ánimo", el muchacho movió los ojos e inclinó la cabeza. Había muerto.

La noticia de su muerte corrió entre los soldados. Un oficial le puso su cruz roja, otro le besó en la frente y las flores continuaban lloviendo sobre sus desnudos pies. Envuelto en la bandera, fue enterrado como soldado.

Los pobres

"Dar la vida por la patria, como el muchacho lombardo, es una virtud; pero no olvides tampoco, hijo mío, otras virtudes no menos brillantes. Esta mañana pasaste junto a una pobre que tenía en sus rodillas a un niño extenuado y pálido, y que te pidió limosna. Tú la miraste y no le diste nada. No te acostumbres a pasar con indiferencia delante de la miseria. A los pobres les gusta la limosna de los niños porque no les humilla, y porque los niños, que necesitan de todo el mundo, se les parecen. La limosna del hombre es acto de caridad; pero la del niño, al mismo tiempo, es caricia. ¡No pases nunca más delante de una madre que pide limosna, sin dejarle un socorro en la mano!

Tu madre."

Diciembre

El pequeño escribiente florentino

(Cuento Mensual)

Estaba en la cuarta clase elemental. Era un gracioso florentino de doce años, de cabellos rubios y tez blanca, hijo mayor de cierto empleado de ferrocarriles, que también trabajaba como copista. El muchacho veía a su padre desgastarse la vista noche tras noche en esta difícil tarea, pero no aceptaba su ayuda. Entonces una noche esperó a que éste se acostara y se puso a escribir, imitando todo lo que pudo la letra de su padre.

Así pasaron meses. Sin embargo, las calificaciones de Julio comenzaron a bajar, pues el chico, por más que se esforzaba, no lograba la misma concentración de antes.

El padre lo reprendió con severidad:

—Julio, tú ves que yo trabajo, que yo gasto mi vida por la familia. Sabes que hay necesidad de hacer muchas cosas, de sacrificarnos todos y me pagas con esas calificaciones.

Una tarde en la comida, la madre notó lo pálido que estaba el chico.

—La mala conciencia hace que tenga mala salud. No estaba así cuando era estudiante aplicado e hijo cariñoso.

—¡Pero está malo! —exclamó la mamá.

—¡Ya no me importa! —respondió el padre.

Aquella palabra le hizo a Julio el efecto de una puñalada en el corazón.

Sin embargo, aquella noche se levantó todavía y empezó con su tarea. Entretanto, su padre estaba detrás de él; se había levantado y ahora lo comprendía todo, así que corrió a abrazar a su hijo.

—¡Oh, padre mío, perdóname! —gritó reconociéndolo.

—¡Perdóname tú a mí! Todo lo sé. Por favor, ve a dormir, santa criatura mía—dijo el padre sollozando. Y Julio, rendido, se durmió por fin; y cuando despertó vio la blanca cabeza de su padre que había pasado la noche a su lado.

Enero

Virtudes

Sabes diario, esta mañana, Estardo obtuvo una medalla de segundo lugar. ¡Quién lo diría! Cuando su padre lo metió en la escuela dijo delante de todos:

—Tengan paciencia con él porque es muy tardo para comprender.

No cabe duda que la voluntad de mi compañero es de hierro. ¡Bravo Estardo; quien trabaja, vence!

—Otra virtud que debes mantener es la gratitud —dijo mi padre. Pronuncia siempre con respeto el nombre de maestro, que después del de padre, es el nombre más dulce que puede dar un hombre a un semejante suyo.

El tamborcillo sardo
(Cuento Mensual)

El 24 de julio de 1848, un grupo de soldados italianos se vieron rodeados por dos compañías del ejército austriaco. Apenas tuvieron tiempo de refugiarse en una casa solitaria y reforzar la puerta. Iba con ellos un tamborcillo sardo, muchacho de unos catorce años de cara morena aceitunada. El capitán de aquel grupo se dirigió a él:

—¡Tambor! ¿Tú tienes valor?

—Sí, mi capitán.

—Mira allá abajo, donde brillan aquellas bayonetas están los nuestros. Necesito que salgas y atravieses la cuesta, corras por los campos, y entregues este papel al primer oficial que veas.

—Confíe usted en mí, mi capitán —dijo el tambor saliendo fuera.

A los pocos momentos el muchacho corría cuesta abajo. De pronto fue descubierto por los austriacos. Las balas sacaban pequeñas nubes de polvo.

—¡Muerto! —exclamó consternado el capitán, pues el tamborcillo había caído. Sin embargo, el chico se levantó y siguió corriendo, aunque cojeaba. Varias veces tuvo que detenerse y reanudar la carrera. Afortunadamente, llegó a tiempo para avisarle a los aliados su posición de resistencia. Los enemigos salieron huyendo y ahí terminó la batalla.

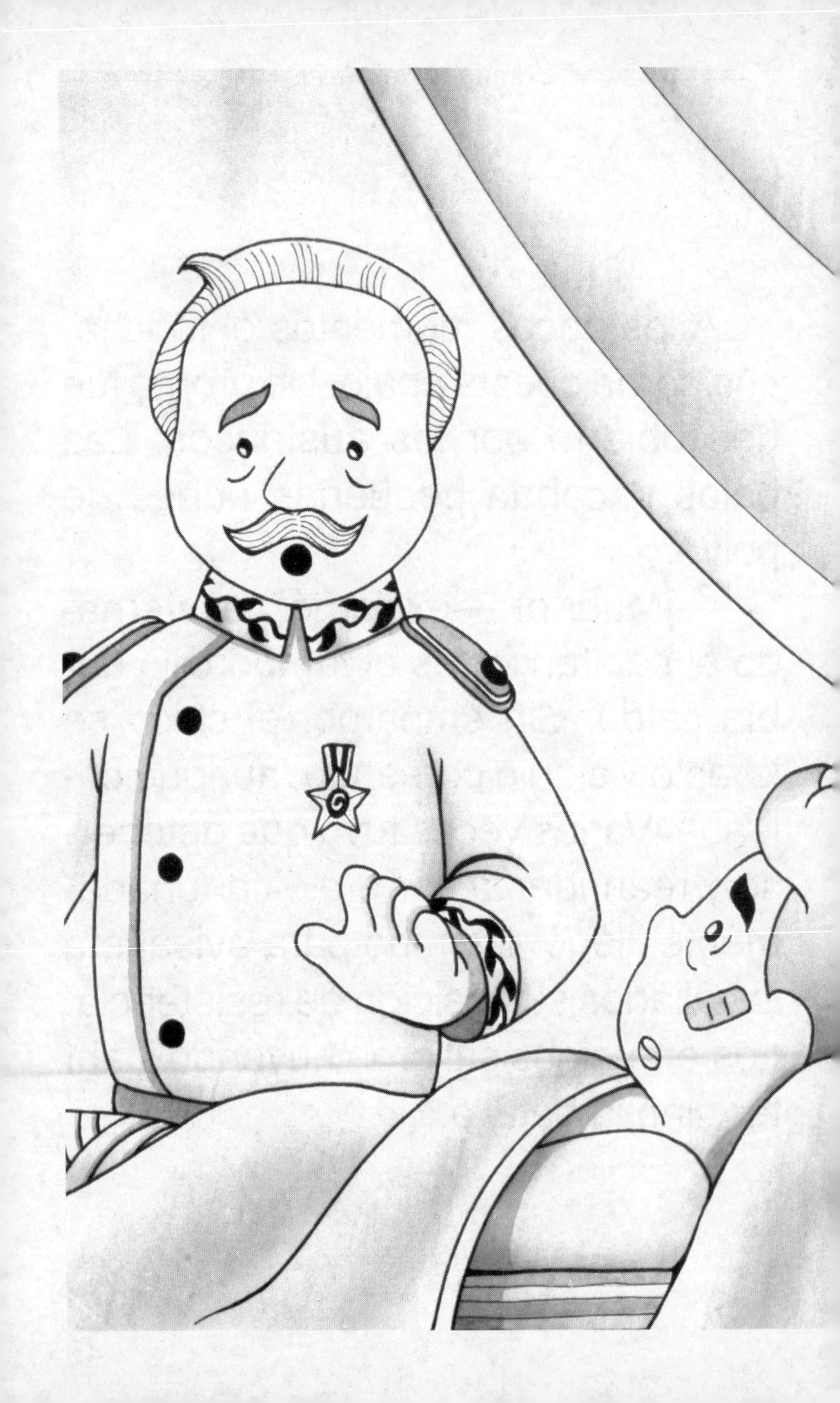

Al día siguiente, el capitán fue a ver a los heridos.

—¡Mi capitán! —dijo el tamborcillo.

—¡Cómo! ¿Eres tú? —le preguntó el capitán admirado, pues pensaba que sólo se había torcido el pie— ¿Estás herido?

El tamborcillo se veía muy débil.

—Debes haber perdido mucha sangre —dijo el capitán.

—¿Perdido mucha sangre? —respondió el muchacho sonriendo— Algo más que sangre. ¡Mire!— Y echó abajo la colcha. El capitán se hizo hacia atrás horrorizado.

El muchacho sólo tenía una pierna. La pierna izquierda se la habían amputado por encima de la rodilla.

En aquel momento pasó el médico.

—¡Ah, mi capitán! Esa pierna se habría salvado con poco si él no la hubiese forzado de aquella manera. Es un buen muchacho italiano.

Entonces el capitán mirándole siempre, levantó la mano hasta la cabeza y se quito el quepis al tiempo que le decía:

—Yo no soy más que un capitán; ¡tú eres un héroe!

Febrero

El payasito

Diario, la ciudad parece hervidero ya que llegó el carnaval y en medio de la plaza se ha puesto un circo. Los titiriteros y los saltimbanquis duermen en tres grandes carretas. ¡Cómo trabajan! Todo el día corren por un puñado de monedas, pero si el viento es fuerte ¡adiós espectáculo!: necesitan devolver las entradas. Me llama la atención un chico como de ocho años. Está vestido de payaso con una especie de saco grande con mangas. Cuida a su hermano pequeño, transporta aros, limpia los carros, enciende el fuego.

Una noche fuimos al circo; hacía frío y no había casi nadie. Mi padre que escribe en el periódico, sacó un artículo elogiando al payasito que no dejó de estar en continuo movimiento para tenernos alegres. Al día siguiente, la plaza estaba llena. Cuando volvimos a ir, el payasito, que nos reconoció, no quiso aceptar mis monedas y a cambio me regaló unos dulces junto con un abrazo.

La calle

"Te observaba desde la ventana esta tarde al volver de casa de tu maestro. Tropezaste con una pobre mujer y debiste haberle cedido el paso. Debemos respetar la vejez, la miseria, el amor maternal, la enfermedad, la fatiga, la muerte. Pregunta siempre qué tiene, al niño que veas llorando; recoge el bastón al anciano. Si dos niños riñen, sepáralos; si son dos hombres aléjate por no asistir al espectáculo de la violencia brutal que endurece el corazón. Respeta la calle. La educación de un pueblo se juzga, ante todo, por el comedimiento que observa en la vía pública. Tu ciudad es tu pequeña patria. Estúdiala en sus calles y en su gente; ámala, y cuando oigas que la injurian defiéndela.

Tu padre."

Marzo

El pleito

¿Puedes creerlo?, tuve un pleito con Coreta. No fue por envidia de que él hubiera alcanzado premio y yo no. El maestro le había colocado a mi lado, yo estaba escribiendo y él me empujó con el codo haciéndome echar un borrón y manchar también el cuento mensual. Me enfurecí y le solté una palabrota. Él me contestó sonriendo:

—No lo he hecho a propósito.

Debería haberle creído, porque lo conozco. Pero para vengarme le di un empujón y le estropeé la plana. En seguida me arrepentí y quise pedirle perdón. Pero la palabra "perdón" no pasaba por mi garganta.

—Ya nos veremos afuera —me dijo.

—¡Sí que nos veremos fuera!

Sin embargo, cuando salimos de clase se acercó él y con bondadosa sonrisa me dijo: No, Enrique, seamos tan amigos como siempre.

Yo tenía la regla levantada para defenderme. Me quedé aturdido. Coreta me abrazó y nos separamos contentos. Cuando le conté a mi padre lo sucedido hizo pedazos mi regla por haberla levantado contra un compañero mejor que yo.

Mi hermana

"¿Por qué, Enrique, has peleado también conmigo? ¿No sabes que cuando nuestro padre y nuestra madre no existan, yo seré tu mejor amiga, la única con quien podrás hablar de nuestros muertos y de la infancia?

¡Ah, Enrique! Siempre encontrarás a tu hermana con los brazos abiertos. Escríbeme alguna palabrita cariñosa, te lo suplico.

Tu hermana Silvia.

P. D. Para demostrarte que no estoy enfadada, copié para ti el cuento mensual."

Abril

La madre de Garrón

Sabes, ayer recordé las palabras de mi padre cuando me dijo que el más terrible de todos mis días sería el día en que perdiese a mi madre. Las recordé porque la madre de Garrón había muerto. Todos sentimos una gran angustia en el corazón cuando le vimos entrar al aula. Tenía la cara sin vida, los ojos encendidos y apenas se sostenía sobre las piernas. Yo hubiese querido decirle algo pero no sabía.

A la salida nadie le habló; todos pasaron a su lado con respeto y en silencio. Yo vi a mi madre que me esperaba y corrí a su encuentro para abrazarla; pero ella me rechazaba y miraba a Garrón. Entonces comprendí por qué no debía abrazarla en ese momento, y salí sin darle la mano.

Valor cívico

(Cuento mensual)

Este mes en lugar del cuento fuimos a presenciar la entrega de la medalla del valor cívico al chico que salvó a un compañero suyo en el Po. El alcalde puso delante de la multitud a una familia. El padre era un albañil vestido de fiesta, la madre era pequeña y rubia. El muchacho, también pequeño y rubio, vestía con una chaqueta gris.

El alcalde relató la hazaña del muchacho que se había lanzado a salvar a un compañero que se revolvía en el río. Lo hizo sin titubear ni un momento a pesar de que el río estaba muy crecido y el riesgo era terrible hasta para un hombre. Había luchado furiosamente contra la corriente para sacar a su amigo y haciendo esfuerzos desesperados le había salvado.

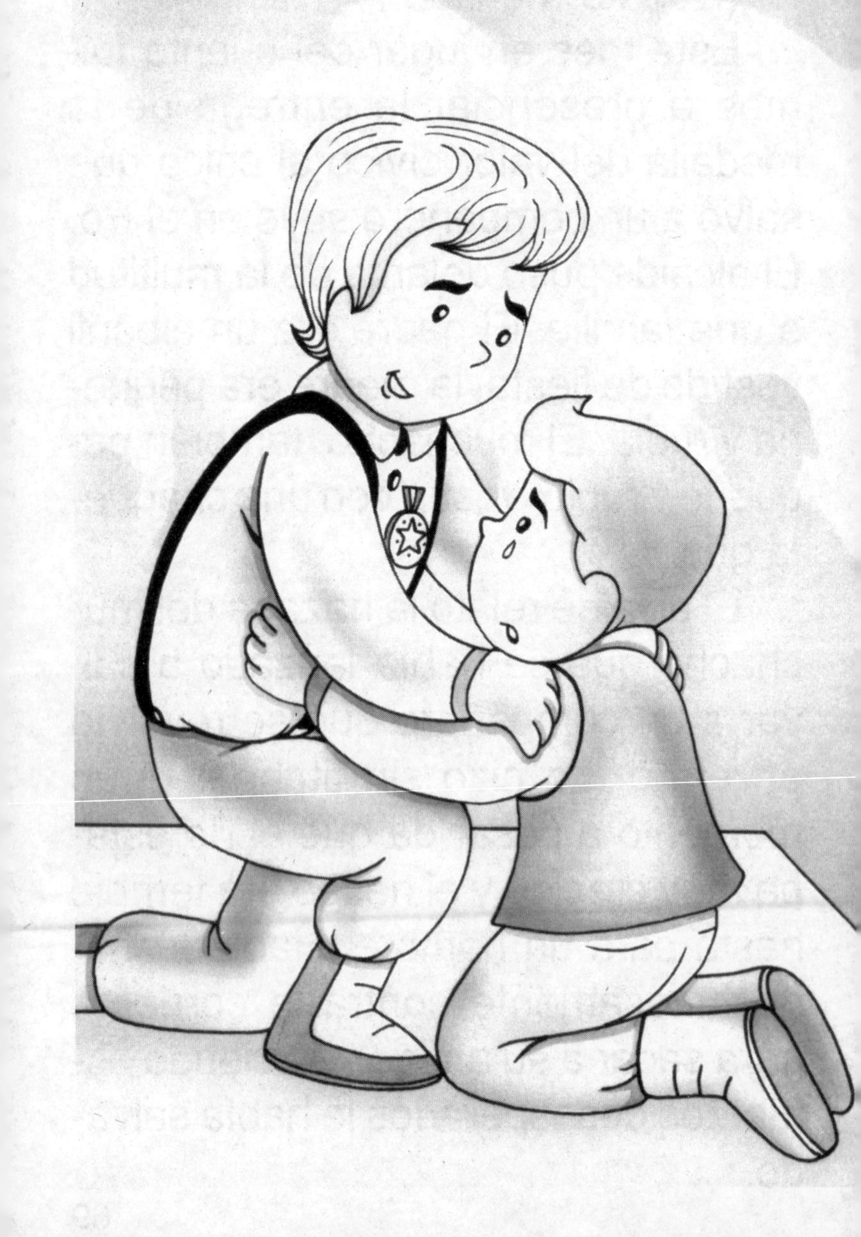

Entre vivas y aplausos, el chico recibió la medalla. Luego otro muchacho de unos ocho o nueve años salió de entre la gente y se lanzó al condecorado dejándose caer en sus brazos.

Todos gritaban ¡Viva Pinot! Cuando pasó cerca de nosotros lanzamos nuestros sombreros al aire y le saludamos como a un héroe.

Mayo

Sacrificio

Te cuento que esta mañana, Silvia escuchó a nuestros padres conversar preocupados por nuestra situación económica. A papá le había salido mal un negocio y mamá le animaba.

—Es menester hacer sacrificios. ¿Estás dispuesto? —me dijo mi hermana.

Fuimos con mamá y le dijimos que no queríamos ya el abanico para Silvia ni la caja de pinturas para mí porque sabíamos de los momentos de estrechez por los que pasábamos.

—No queremos ni fruta ni otras cosas; nos bastará con el cocido, y, por la mañana, en la escuela, comeremos pan. ¿No es verdad, Enrique?

Yo respondí que sí.

Mi madre se sintió muy contenta y orgullosa de nosotros. Nos dio mil veces las gracias y luego nos aseguró que por fortuna no estábamos tan apurados como creíamos.

¡Pobre padre mío! Esta mañana encontré bajo mi servilleta mi caja de pinturas, y Silvia su abanico.

Junio

Gracias

Diario, está a punto de terminar el año escolar. Otro año, y soy capaz de hacer varias cosas nuevas. Leo y escribo mejor, y también hago cuentas mucho mayores. Estoy contento y sobre todo agradecido. ¡Cuántos me han ayudado a aprender! Doy gracias a ti, mi buen maestro; a ti, Deroso, mi admirable compañero; a ti, Estardo, por tu voluntad de hierro; a ti, Garrón por tu generosidad y bondad que se contagian. A Precusa y a Coreta; a ti, padre mío, mi primer maestro; y a ti, dulce madre mía, mi querido y bendito ángel custodio, te doy las gracias por toda la ternura que has puesto en mi alma en 12 años de sacrificios y de amor.